KV-011-692

O MYSZY MIEJSKIEJ
w
SPARTAŃSKIM DOMU

TERRY DEARY

GRECKIE OPOWIEŚCI

O MYSZY MIEJSKIEJ
w
SPARTAŃSKIM DOMU

Ilustracje Helen Flook

Tytuł oryginału: The Town Mouse and the Spartan House
Tłumaczenie: Anna Bańkowska-Lach
Tekst © 2007 Terry Deary
Ilustracje © 2007 Helen Flook

Prawa autorskie Terry'ego Deary i Helen Flook są zagwarantowane przez
Copyright, Design and Patents Act 1988.

First published 2007 A & C Black Publishers Ltd.
© 2007 for the Polish edition by
Firma Księgarska Jacek i Krzysztof Olesiejuk - Inwestycje Sp. z o.o.

ISBN-13: 978-83-7512-604-4
ISBN-10: 83-7512-604-7

Wydawca:
Firma Księgarska Jacek i Krzysztof Olesiejuk - Inwestycje Sp. z o.o.
05-850 Ożarów Mazowiecki, ul. Poznańska 91

www.olesiejuk.pl

Wszystkie prawa zastrzeżone. Żadna część tej publikacji nie może być
kopiowana elektronicznie, graficznie, mechanicznie przez fotokopiowanie,
zachowywanie w systemach bez zgody właściciela praw.

Wstęp

Ateny, Grecja, 430 rok p.n.e.

Ezop, grecki bajkopisarz powiedział kiedyś:

Lepiej jeść fasolkę z bekonem w spokoju, niż ciastka i piwo w strachu, co później cytowano jako: „Lepiej biednie u siebie, niż bogato u obcych".

Kiedy byłem chłopcem, mieszkałem w wielkim mieście Ateny. Było to najwspanialsze miasto na świecie, zamieszkałe przez najwyśmienitszych obywateli. Żyliśmy w luksusie.

Szybko jednak przekonałem się, że bogactwo nie jest trwałe i nie jest takim błogosławieństwem, jak się nam zwykle wydaje. Czasami lepiej więc być biednym, ale szczęśliwym, aniżeli bogatym i nieszczęśliwym.

Lecz zanim się o tym przekonałem, wydawało mi się, że bogowie nam sprzyjają. Pewnego roku wszystko się zmieniło.

Bogowie greccy musieli rzucić na nas klątwę. Pierwszą karą była armia spartańska. Wojownicy spartańscy rozbili obóz w pobliżu miasta. Za każdym razem, gdy nasza armia usiłowała przebić się przez szeregi wroga, Spartanie

7

odpierali atak i zabijali naszych wojowników.

– Czemu nie potrafimy ich pokonać? – zapytałem matkę.

Potrząsnęła tylko głową.

– Spartanie są najokrutniejszymi ludźmi na ziemi. Żyją dla walki. Rodzą

się i umierają, by walczyć i ginąć za
Spartę.

- Czemu tak nas nienawidzą i chcą
zabić? - spytałem znowu.
- Ateny to bogate miasto. Spartanie
zazdroszczą nam bogactwa, a poza tym
obawiają się, że zbierzemy armię i zaata-
kujemy ich pierwsi. Chcą uprzedzić

nasz atak, zanim my zniszczymy Spartę.

Każdej nocy nawiedzały mnie koszmary, w których spartańskie miecze z żelaza siekały mnie na kawałki. Czułem się jak mysz, która miała być zmiażdżona przez spartańskie stopy.

ROZDZIAŁ
PIERWSZY

Przybycie Spartan oznaczało życie w strachu i oczekiwanie na atak. Można było wyczuć zapach dymu dochodzącego z okolicznych wiosek palonych przez Spartan.

W mieście roiło się od chłopów,
którzy uciekli z wiosek. Świątynie
pełne były bezdomnych.

Moja matka nie wychodziła z domu.
Kiedy pojawiała się na ulicy, ludzie
pluli na nią.

– Pochodzę ze Sparty. Poślubiłam twojego ojca, gdy panował pokój. Teraz moja ojczyzna prowadzi wojnę z Atenami, stąd ateńczycy mnie nienawidzą – wyjaśniła.

Kiedy wydawało się nam, że nie ma nic gorszego od dzikich Spartan, nadeszła następna kara.

Zaraza...

Od ojca, który był lekarzem, dowiedziałem się, jak choroba rozprzestrzeniała się w zatłoczonych świątyniach.

– Chorzy cierpią na ból głowy i oczu. Plują krwią i wymiotują. Ciała trawi gorączka i pojawiają się na nich wrzody. Nieszczęśnicy nie mogą spać, a po tygodniu umierają. Próbuję im

jakoś pomagać, lecz na to nie ma
lekarstwa. Jedyne, co mogę zrobić, to
oddzielić chorych od zdrowych.

Wkrótce zaraza przeniosła się ze
świątyń do miasta. Krzyczące z bólu
ofiary zarazy rzucały się w dół studni,
by ochłodzić swe palone
gorączką ciała.

Nie było chętnych do opieki nad chorymi, umierającymi na ulicach. Ich ciała układano na stosach i zostawiano, by się rozkładały. Rodziny chorych rozpalały ogniska i paliły zwłoki bliskich.

– To istne piekło – powiedział pewnego dnia ojciec, pocierając swędzące czoło. Niedługo później i jego oczy zaczęły ropieć, a ciało rozpaliła gorączka. Zmarł tydzień później.

Każdy Ateńczyk stracił na skutek zarazy kogoś bliskiego i wszędzie słychać było płacz. Teraz i my dołączyliśmy do żałobników. Płakałem za ojca i siebie, w strachu czekając na moment, kiedy zaraza zabierze moje życie. Zapłaciliśmy niewolnikom, aby

zabrali ciało ojca do miejsca, gdzie składano zwłoki ofiar choroby.

Potem zachorowała matka. Z przerażeniem przyglądałem się jej twarzy błyszczącej od potu i jej rozrzuconym na poduszce matowym włosom, jeszcze niedawno tak pięknym i błyszczącym.

– Dariuszu – wyszeptała, dysząc ciężko.
– Uciekaj z miasta... Ratuj się. Ty też jesteś

Spartaninem. Mój brat jest generałem w armii spartańskiej. Znajdź go. Odszukaj wuja Alkmeona.

– Ależ Spartanie są najokrutniejszymi ludźmi na ziemi!

– Lepiej być żywym Spartaninem, niż nieżywym Ateńczykiem, synu – powiedziała.

Następnego dnia zmarła. Nasz najstarszy służący, Symeon, pocieszał mnie.

– Twoja matka przebywa teraz z bogami na Polach Elizejskich.

– Ona nie żyje! – łkałem.

– Nie, po prostu zasnęła – powiedział łagodnie.

– Kiedy się obudzi, znajdzie się na Wyspach Błogosławionych. Tam wszyscy są szczęśliwi. Spotka się z twoim ojcem i będą żyć wiecznie w pokoju.

– A co ze mną? – zapytałem.

- Jeśli będziesz dobrym człowiekiem, pewnego dnia też do nich dołączysz – uśmiechnął się. – Ale teraz musisz się ratować. Bądź dzielny i pamiętaj, że życzeniem matki było, abyś spotkał się ze swoją spartańską rodziną.

- A ty?

- Zostanę w Atenach – powiedział obojętnie. – Jestem stary. Jeśli bogowie zechcą, zabiorą mnie lub oszczędzą. Muszę dopilnować pochówku twojej matki. Ale ty musisz uciekać. I to jak najprędzej.

Nie trzeba mi było powtarzać. Przygotowałem się do ucieczki.

ROZDZIAŁ DRUGI

Przygotowałem zawiniątko, w którym schowałem trochę fasoli i bekonu. Trudno było o pożywienie w Atenach. Fasola i bekon to i tak był rarytas. Rozejrzałem się wokół za czymś, co mógłbym zabrać, jakąś pamiątką po rodzicach. Wybrałem matki ulubiony pierścionek z opalem oraz mały zwój z notatkami ojca, gdzie spisane były sposoby leczenia niektórych dolegliwości. Wetknąłem wszystko za pas.

Spakowałem trochę ubrań i o świcie opuściłem dom.

Strażnicy przy murze stali znudzeni, opierając się o włócznie.

– Możecie mnie wypuścić? – spytałem.

– Wpadniesz w ręce Spartan – wyśmiewał się ten z kwaśną miną. – Zrobią z ciebie cel do rzucania włócznią!

- Lepsze to, niż powolna śmierć od zarazy - odparłem.

Strażnik wzruszył tylko ramionami i uchylił małą bramkę w murze.

- Niech strzegą cię bogowie - powiedział.

Ale w Atenach wszyscy wiedzieli, że bogowie tym razem są po stronie Spartan.

Obozu Spartan strzegli bystroocy chłopcy. Byli zaledwie w moim wieku, ale ich ostry jak włócznia wzrok przeszywał każdy szczegół w polu widzenia. Pochwycili mnie i związali ręce. Następnie rozerwali mój tobołek, zjedli zapasy jedzenia i zabrali pierścionek matki. Potem zaciągnęli w stronę obozu.

- Jestem Dariusz, siostrzeniec Alkmeona ze Sparty - próbowałem im wyjaśnić.

- A ja jestem Brazydas ze Sparty. Nie jestem ani niczyim synem, ani siostrzeńcem.

- Nie masz rodziców?

- Matką i ojcem jest mi Sparta - odparł dumnie.

Mężczyźni o ogorzałych twarzach ładowali broń na wozy i składali namioty.

- Wyjeżdżacie? - spytałem Brazydasa.

- Wracamy do Sparty na żniwa - wyjaśnił. - Chociaż mamy do pracy helotów, naszych niewolników, nie ufamy im.

- Więc Ateny będą wolne? Czyżbym pospieszył się z ucieczką?

- Zaraza też zabija, nie tylko spartańskie włócznie - odpowiedział Brazydas. - Wrócimy na wiosnę, by podbić Ateny. Do tej pory nie będzie tu już żołnierzy broniących murów miasta.

Potem popchnął mnie w stronę grupki uzbrojonych mężczyzn, którzy przyglądali się, jak załadowywano wozy.

– Kto to? – zapytał żołnierz, stojący pośrodku grupy.

– Ateński szpieg, generale Alkmeonie – odparł chłopiec. – Przekażę go kolegom, by zrobili z nim co trzeba.

Generał wyciągnął ku niemu swą wielką dłoń i chwycił go za szyję.

- Przecież on może roznosić zarazę. Po co przywlokłeś go do obozu?

- Przepraszam, nie pomyślałem o tym! - wydusił Brazydas.

Generał powoli wycedził:

- Zabierzcie go, zabijcie szybko, a ciało wrzućcie do morza.

- Tak, generale - powiedział chłopiec,

łapiąc powietrze i obrócił się, by chwycić za sznur zawiązany na moich rękach.

– Wujku Alkmenonie! – wrzasnąłem. – Jestem Dariusz. Bogowie rzucą na ciebie klątwę, jeśli każesz zabić syna swojej siostry!

Brazydas wyśmiewał się:

- Poznaj spartańskie warunki!

Cały dzień pracowałem w ostrym słońcu, a na kolację dostałem małą miskę wodnistej owsianki.

- W sam raz dla takiej myszy, jak ty
- powiedział Brazydas.

Następnego ranka wyruszyliśmy w morze.

W domu, w Atenach, mieliśmy wielu służących, jak Symeon, ale nigdy nie traktowaliśmy ich w sposób, w jaki Spartanie traktowali mnie.

Na statku każdy dzień upływał na ciężkiej pracy. Mieszkałem pod pokładem, gdzie nie można było się nawet wyprostować i siedziało się w cuchnącej wodzie. Ponieważ statek przeciekał, musiałem stale nabierać wodę do skórzanych bukłaków i wylewać ją za burtę.

Statek był stary i dziurawy jak sito.
Wylałem chyba pół morza za jego
burtę i często z bólu nie czułem rąk.

Po skończonym posiłku żołnierzy
pozwalano mi żywić się resztkami
pożywienia.

Pod koniec dnia Brazydas opowiadał mi, jak żyją Spartanie.

– Największym przestępstwem jest

ucieczka z pola walki – powiedział. –
Karą za to jest śmierć.

– Zabijacie swoich żołnierzy, którzy
ratują życie ucieczką? – zdziwiłem się.

– Spartanie nie cenią
życia – odparł.
– W Sparcie nie-
długo po uro-
dzinach rodzice
pokazują nie-
mowlę star-
szyźnie. Jeśli
wygląda zdrowo,
może dalej żyć. Jeśli
jednak jest słabowite,
zabierają je w góry i pozostawiają na
pastwę losu.

Popatrzył na mnie z pogardą:

– Taką mysz jak ty, też pewnie kaza-
no by porzucić w górach.

– Ale przecież słabi ludzie też się przydają! – odpowiedziałem wzburzony.

– Co? – szydził.

– Ja często pomagałem ojcu w pracy.

Był lekarzem i ja mógłbym nim zostać, gdybym był starszy. Mógłbym ratować życie.

Na to Brazydas pokiwał głową z politowaniem.

– Znałem kiedyś spartańskiego chłopca, który ukradł szczenię lisa.

Kiedy dorośli odkryli ten postępek, kazali mu przybyć na przesłuchanie. Przepytywali go cały ranek, a on nie pisnął ani słowa.

– Żeby uniknąć kary? – spytałem.

– W Sparcie, nie karze się za samą kradzież. Winny jest ten, kto się przyznał lub został przyłapany na gorącym uczynku. Wtedy to jest przestępstwo.

Jedna zasada: nie daj się złapać.

– A co się stało z tym chłopcem?

– Przed południem już nie żył.

– Zabili go?

– Nie. Chłopiec schował lisa pod tuniką i nic się nie odzywał... chociaż lis wyja-  dał mu wnętrzno- ści. To się nazywa spartańska odwaga!

– To nie odwaga... To szaleństwo! I tak nie wierzę w tę historię.

Brazydas spojrzał na mnie.

– A gdyby była prawdziwa? Czy mógłbyś użyć swoich umiejętności, by przywrócić go do życia?

– No nie... ale...

– Więc jednak do niczego się nie

nadajesz. Powinno się było ciebie porzucić w górach jako niemowlę.

Wstał i właśnie miał odejść, gdy usłyszeliśmy krzyki na pokładzie.

– Generał Alkmeon jest chory... Umiera!

ROZDZIAŁ CZWARTY

Brazydas wydał okrzyk rozpaczy.

– Alkmeon jest naszym najlepszym przywódcą. Potrzebujemy go, jeśli chcemy zdobyć Ateny.

– Czy przypadkiem nie mówiłeś wcześniej, że życie nic nie znaczy dla Spartan?

Odwrócił się i z wściekłością uderzył mnie kijem w ramię. Bito mnie tak często w tamtym czasie, że przywykłem do tego i już nie reagowałem na ból. Może wreszcie upodobniłem się do Spartan.

– Tylko niektóre życia są bez wartości. Na przykład takie jak twoje!

– Ale co zamierzacie zrobić? – spytałem.

– Nie wiem, nasi lekarze płyną innymi statkami. Jeśli poczekamy na nich, może być za późno. Alkmeon nie chciałby takiej śmierci. Pragnie zginąć w walce.

– A może wcale nie chce umierać? – zapytałem.

Brazydas ponownie mnie uderzył,
ale ja próbowałem nie okazywać bólu.

– A może powinniśmy złożyć
bogom ofiarę – zawołał do towarzyszy.

– Zabijemy tego Ateńczyka i rozleje-
my jego krew na wodzie.

Żołnierze popatrzyli na mnie. Kilku z nich pokiwało głową z aprobatą.

– Poczekajcie! – zawołałem. – Bogowie czuwają nad Spartą. Jeśli zechcą, by Alkmeon umarł, sprawią to. Jeśli zechcą go ocalić, ześlą mu doktora.

Wysoki żołnierz wyciągnął nóż zza pasa i machnął nim przed moim nosem.

- To módl się lepiej o doktora. Bo jeśli się nie zjawi, złożymy z ciebie ofiarę!

Inni poparli go, krzycząc:

- Masz rację, Solonie!

Nagle przyszedł mi do głowy pomysł:

- Ja jestem dok-torem - krzykną-łem.

Wszyscy obrócili się w moją stronę i spojrzeli na mnie. Wyciągnąłem zza pasa zwój z notat-kami ojca.

- Mój ojciec był lekarzem i nauczył mnie tego zawodu.

Zabierał mnie na wizyty do chorych.
Potrafię wyleczyć wuja Alkmeona. To
dlatego bogowie sprawili, że znalazłem
się na tym statku.

Żołnierze wydawali
się niedowierzać.

Naradzali się po cichu między sobą,
po czym najwyższy z nich o imieniu
Solon, powiedział:

- Wydajesz się być mądry, Dariuszu.

- Dziękuję - powiedziałem, skinąwszy głową.

- Pozwolimy ci opiekować się Alkmeonem. Wyleczysz go.

- Spróbuję - odparłem z radością.

- O nie. Nie spróbujesz wyleczyć, tylko wyleczysz. Jeśli ci się to uda, zostaniesz bohaterem Sparty. Nigdy nie będziesz służył jako helot.

- To uczciwa umowa - uśmiechnąłem się i rozwinąłem zwój.

- Owszem, uczciwa - przytaknął Brazydas. - Co znaczy, że jeśli Alkmeon umrze, ciebie czeka to samo.

I przestał się uśmiechać.

ROZDZIAŁ PIĄTY

Pospiesznie udałem się do kabiny
na rufie statku. Leżał tam mój wujek,
pojękując cicho. Całe ciało było zlane
potem, a tunika leżała na podłodze.
Stał przy nim żołnierz z drewnianą
miską.

- Czy to zaraza? - spytał Brazydas.

- Na to wygląda - przyznałem.

- To ty przywlokłeś ją z Aten! - wpadł w złość. - Zabiłeś go i zabijesz nas wszystkich! Twoje miejsce jest za burtą!

Solon chwycił Brazydasa za ramię i powstrzymał go przed wymierzeniem mi kolejnego ciosu.

- Jestem zdrowy - odpowiedziałem. - Gdybym zaraził się chorobą w Atenach, umarłbym do tej pory. Ale mój ojciec znał na nią lekarstwo.

Kłamałem, by ocalić życie. Często obserwowałem ojca podczas pracy. Kiedy chciał dowiedzieć się, co było przyczyną choroby pacjenta, oglądał jego wymiociny. Podniosłem więc miskę i powąchałem uważnie. Czuć było zapach surowego, lekko zgniłego ciasta.

- Czy Alkmeon jadł wcześniej ciasto? - spytałem.

Solon przytaknął.

- To oczywiste. Jest generałem. Najważniejsi Spartanie ucztują, jedząc ciasto i popijając piwo.

Wiedziałem już, że Alkmeon zatruł się ciastkami.

Była to powszechna przypadłość w Atenach przed wojną, w czasach, kiedy jadało się ciasto i popijało piwo. Ale ja miałem plan - nie zamierzałem powiedzieć Spartanom o tym, że Alkmeon cierpiał na zwykłe zatrucie pokarmowe.

– Przynieście mi wiadro wody morskiej – rozkazałem.

– Po co? – spytał Brazydas.

Teraz grałem rolę lekarza. Odwróciłem się do niego i powiedziałem stanowczo:

– Rób, jak każę, jeśli chcesz ocalić generała.

Chłopiec bez słowa pospieszył, by wykonać polecenie.

Kiedy powrócił, powiedziałem:

- A teraz zostaw mnie sam na sam z wujem.

- Jesteś Ateńczykiem. Możesz go zabić - zaniepokoił się Solon.

Potrząsnąłem głową.

- Czemu miałbym go zabić? Jest moim wujem, a jeśli zabiję członka rodziny, bogowie mnie zniszczą. Jeśli umrze, to i tak przypłacę to swoim życiem.

Solon skinął głową i zabrał ze sobą Brazydasa, a potem zamknął drzwi.

Kiedy zniknęli, uniosłem głowę wuja i zacząłem wlewać mu do gardła wodę morską. Połykał ją powoli. Nagle przestał. Usiadł i złapał się za brzuch. Dostał tak silnych skurczów żołądka, że woda trysnęła mu z ust i nozdrzy.

Po jakimś czasie Alkmeon był tak wyczerpany, że nie miał siły dalej wymiotować.

Pozwoliłem mu odpocząć, a potem zaserwowałem taką samą kurację. Na koniec wszystko powtórzyłem.

Po trzecim razie przyniosłem mu świeżej wody i zostawiłem, by odpoczął. Według zapisków ojca trzy kuracje wystarczyły, by oczyścić organizm pacjenta z toksyn i uratować mu życie.

Alkmeon zapadł w sen. O poranku, kiedy słońce wznosiło się nad mieniącą powierzchnią wody, otworzył oczy i jęknął.

Solon pospieszył do kajuty.

– Żyjesz, generale?

Alkmeon skinął głową.

– Co się ze mną działo?

– Miałeś zarazę – skłamałem, po czym pokazałem mu zwój z notatkami ojca.

– A ja jestem jedynym człowiekiem w Atenach i Sparcie, który potrafi cię wyleczyć.

– Nieźle się spisałeś, chłopcze – przyznał Alkmeon, uścisnąwszy mi dłoń. – Chociaż jesteś ateńską myszką, Spartanie ugoszczą cię jak bohatera. Będziesz teraz jadł ciasto i popijał piwo, tak jak najwięksi nasi wojownicy i książęta. Spełnimy każde twoje życzenie.

– Mam tylko jedno życzenie, wuju, jedyne... – wyznałem.

ROZDZIAŁ SZÓSTY

Wuj Alkmeon wysadził mnie na plaży w Megarze – spełniło się więc moje życzenie i pieszo powędrowałem do Aten.

Wszędzie widać było chłopów pracujących na polach, którzy próbowali ratować zbiory.

– Spartanie wyjechali! – oznajmił mi strażnik przy bramie.

– Wrócą na wiosnę – odparłem smętnie i powoli ruszyłem z stronę miasta.

Udałem się w kierunku domu, gdzie odnalazłem Symeona. Niezmiernie uradowany ze spotkania, opowiedziałem mu całą przygodę.

– Pilnowałem tego domu z myślą o tobie, Dariuszu – powiedział.

– Dziękuję, Symeonie.

– Myślałem, że tak jak twoich rodziców, i ciebie też zabrała zaraza.

– Nie. Ojciec opowiadał kiedyś, że zaobserwował przypadki, że pewni ludzie nie zarażają się, mimo że

dookoła umiera tyle osób. Ja i ty nale-
żymy do takich szczęśliwców.

– Jakie masz teraz plany? – zapytał.

Wyciągnąłem zza pasa notatki i spoj-
rzałem na inne zwoje, które pozostawił
jeszcze ojciec na półkach. Na stołach
leżały zioła i różne mikstury.

- Pójdę w ślady ojca i zostanę lekarzem. Chyba będę w tym dobry. Wyleczyłem wuja i chciałbym ratować życie innych ludzi.

Symeon uśmiechnął się.

- Dzielny z ciebie chłopak. Ateny potrzebują takich ludzi.

- Spartanom wydawało się, że też się im przydam. - powiedziałem i za chwilę wybuchnąłem śmiechem.

– Ale tylko się im wydawało, bo uwierzyli, że potrafię leczyć z zarazy! Obiecali mi dostatnie życie w spartańskim domu, ciastka i piwo. Ale pewnego dnia prawda wyszłaby na jaw. Wtedy zabiliby mnie. Tacy są – okrutni.

Symeon wzruszył ramionami.

– Cóż, nie mogę poczęstować cię ani ciastem ani piwem. Ateny zmieniły się w ruinę. Mam jednak bekon i fasolę.

– Ateny nie są już takie jak kiedyś, ale tu jest mój dom.

Uśmiechnąłem się, usłyszawszy to słowo: dom. I przypomniałem sobie wtedy mądre słowa Ezopa: „Lepiej biednie u siebie, niż bogato u obcych".

TERRY DEARY

GRECKIE OPOWIEŚCI

TROJAŃSKI KŁAMCA

TROJA, 1180 ROK P.N.E.

Acheron jest pieśniarzem i najlepszym
kłamcą w Troi. W jego opowieściach król
Parys i bohaterowie trojańscy urastają do
rangi bogów. Pewnego dnia, gdy do miasta
przyjeżdża przybysz z wiadomością, że
greccy wrogowie uciekli bez walki, Acheron
odkrywa podstęp. Ale kto teraz mu
uwierzy?

Greckie opowieści to zabawne
i ciekawe historie oparte na wydarzeniach
historycznych, a krótkie rozdziały i ilustracje
służą rozwijaniu umiejętności czytania.

TERRY DEARY

GRECKIE OPOWIEŚCI

WYZWANIE
DLA
ŻÓŁWIA

OLIMPIA, GRECJA, 776 P.N.E.

Brat Heleny, Kypselis założył się ze szkolnym kolegą, Bakchiadem, że jeśli wygra biegi w szkolnych igrzyskach olimpijskich, jego rodzina otrzyma w nagrodę kozę. Jeśli jednak przegra, jego siostra bliźniaczka zostanie niewolnicą rodziny Bakchiada. Helena jest wściekła. Wszystko sprzysięgło się przeciw Kypselisowi, lecz czy uda się jej uniknąć smutnego losu?

Greckie opowieści **to zabawne i ciekawe historie oparte na wydarzeniach historycznych, a krótkie rozdziały i ilustracje służą rozwijaniu umiejętności czytania.**

TERRY DEARY

GRECKIE OPOWIEŚCI

NIEWOLNICA LWA

SYRAKUZY, GRECJA, 213 ROK P.N.E.
Archimedes jest najmądrzejszym człowiekiem
w całej Grecji. Więc gdy Rzymianie napadają
na miasto, to on ma ocalić swój lud. Lidia,
jego niewolnica, jest pewna, że mu się uda,
wiwatuje więc razem z innymi, kiedy Lew
z Syrakuz wymyśla jeden genialny wynalazek
za drugim. Ale kto naprawdę jest ich
pomysłodawcą?

Greckie opowieści **to przezabawne**
historie oparte na prawdziwych
wydarzeniach ze starożytnej Grecji. Krótkie
rozdziały i ilustracje służą rozwijaniu
umiejętności czytania.